Seu Creysson
VÍDIA i ÓBRIA

OBJETIVA

EDITORA OBJETIVA LTDA., Rua Cosme Velho 103
Rio de Janeiro, RJ - CEP 22241-090
Tel.: (21) 2556-7824 - Fax: (21) 2556-3322
www.objetiva.com.br

Capa e Projeto Gráfico
Pós Imagem Design

Fotos de miolo do Seu Creysson
Ricardo Leal

Foto de capa
Bruno Castainz / Hermes S.A

Fotogramas
Imagens cedidas pela TV Globo Ltda.

Revisão
Sandra Pássaro
Umberto de Figueiredo

Agradecemos a todos os que cederam suas imagens para a
realização deste trabalho.

● ● ● ● ● ● ● ● ● ● ● ● ● ● ● ● ●

C344p
    Casseta & Planeta
       Seu Creysson : vídia i óbria /
    Casseta & Planeta. – Rio de Janeiro : Objetiva, 2002
    106 p.
    ISBN 85-7302-484-4
    1. Literatura brasileira - Humor. I. Casseta & Planeta
    (Grupo humorístico). II. Título.
                         CDD B869.7

Seu Creysson

VÍDIA i ÓBRIA

Dedíquio esse lívrio
a Tia Frávia,
minha professoria de
nalfabetização.
Foi élia qui me
nalfabetizou!
Quer dizer, eu achio que
éria, porque élia só
batia o pôntio e ia si
emboria pra casia.
Mas íssel faz tântio
têmpio qui Seu Creysson
aindia nem tinha équio!

índício

PERGUNTE AO SEU CREYSSON

– Seu Cleisson, eu estou aqui numa festinha porque um amigo meu me convidou. Mas eu não sei se eu participo "da bacanal" ou "do bacanal"?

– Primeirio, eu gostaria de fazê uma acorreção: meu nômio é Creysson!!! É Creysson!!!
E adispois, já que você tá na dúvidia e não sábio se praticipa "da" bacanal ou "do" bacanal, eu áchio melhó você ir pra uma suruba mermo... Ré, ré, ré... e me convidja!!!

* * Seu Creysson * VÍDIA i ÓBRIA

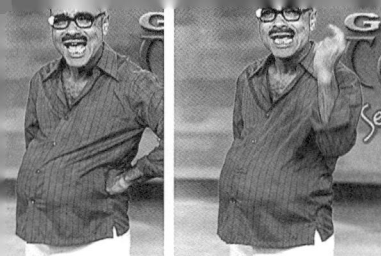

– Você ândia com pobrema no sistemia nelvoso? Tá cheio de minhóquia na cabecia?
As bateria do seu celebro tá arriândio? Agoria seus pobremas se terminaro-se.
Chegou o excrusivo Curço de Pinose do Seu Creysson.
É só travéis da pinose que todo mundio pode arresolver os piripaque da cabecia!

– Eu sou grande admirador do Seu Creysson, sou fã de seus produtos, mas às vezes ele comete alguns erros no uso da língua portuguesa. O vídeo deste curso, por exemplo, apresenta vários erros. Curso não é com cê cedilha e a palavra correta não é pinose. O correto é hipnose.

– Não é nada dilson! Esse negóço de hic-nose que o sinhô falou... é coisa de riquio, que enche a cara de uisco e depois fica assim com solúcio falando hic... hic... daí é que vem essa tal de hic-nose!
O meu curço é de pi-no-se mesmo. O curço de pinose do Seu Creysson, é o úniquio que, além da fítia de vidro-cassetio, vem com um bríndio inteiramêntio de grátis: um pendulio pra patricar o pinotismo.

CURÇO DE
PINOSE
DO
Seu Creysson

– Eu éria uma atora consagrádia, mas num sabia prenunciar o portugues direitio. Aí eu ardiquiri o curço de pinose do Seu Creysson. Peguei o pendulio e me auti-pinotizei a si mêsmia na frente do espeio. Fiquei falandio: você vai drumi, você vai drumi, você vai drumi... aí eu drumi e quando cordei, cordei assim, falandio portugueisi ! E portugueisi corrétio! Eu arrecomêndio!

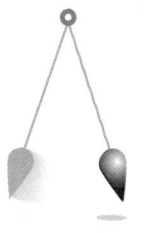

– E não é só íssel! Com o curço
de pinose do Seu Creysson você
vai arregredi pra outras époquias
da tua vídia! Vai pudê voltá pra
adolescença, pra infânça e até
pra dentrio do útil da sua mãe,
mas só no pensamêntio... qui se
não é incéstio e aí é pecádio!
Curço de Pinose do Seu Creysson!
Esse é eu que agarântio!
Esse é mais um podrutio...

PERGUNTE AO SEU CREYSSON

– Seu Creysson, eu acabei de robá essa bicicreta... Aí me bateu uma dúvida... o plural de "pedal" é "os pedal" ou "os pedar"?

– Deixa de ser bêstia, rapázio. Esse negócio de plurar não é pro seu bico, não... probe não usa essas coisa... Só pruquê tu roubou uma bicicreta já acha que é ríquio. E tem mais, ó: os pedar da bicicreta não tem plurar, os pedar é vérbio! Por exêmprio, eu hos-peidei, tu hos-peidaste... e por aí vai... aprendeu inguinorante?!!

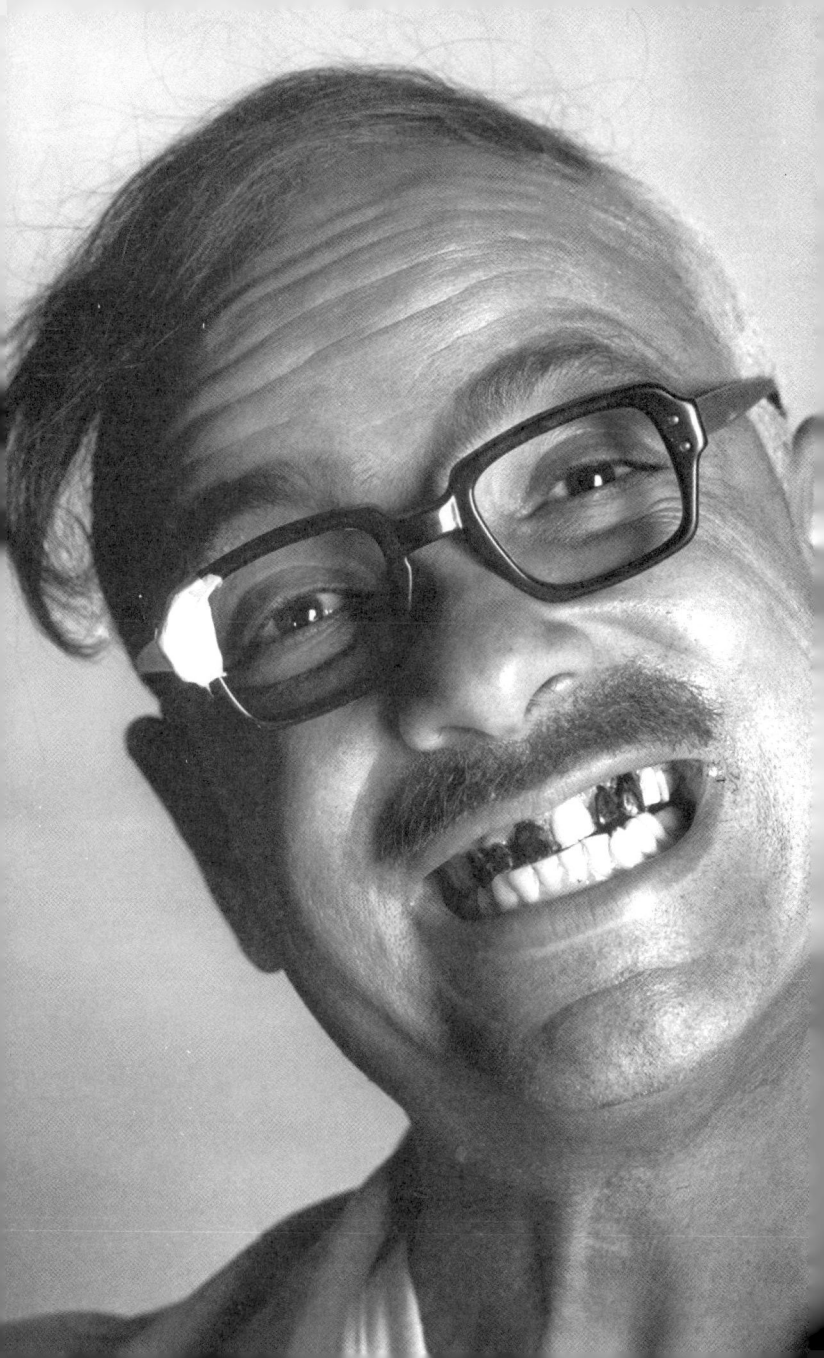

COMPUTADÔ
****
SIMPRIFICADO

– Esses computadô que tem por aí é muito compricádio pra cês que não intendi os indioma istrangero do isteriô! É por ilson, que o Grupo Capivara-Seu Creysson, que é do papai aqui, está lançandio um Computadô Simprificado, que é mais que simpres... é simpríssimo!

– Com o Computadô Simprificado Seu Creysson-Capivara cê num precisa nem sabê escrevê...
É só apertchá a tecra Correge...
qui ele acorrege tudo que cê iscreveu tomáticamente!!!

simpres!

~ símpríssímo! ~

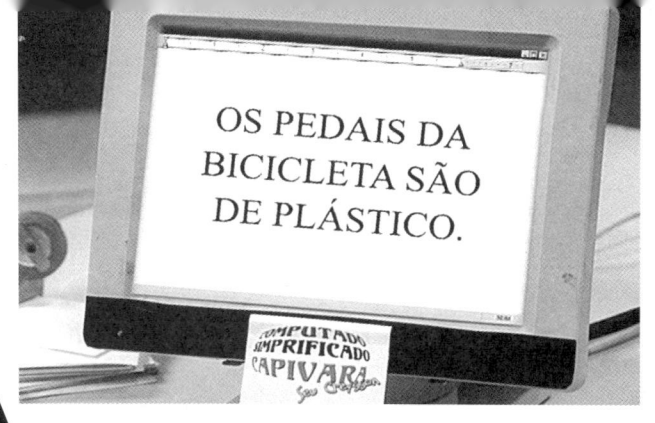

– E não é só apenas wilson!!! O Computadô Simprificado já vem com assecho gratchuitcho de grátis na internétil pra você conhecê o sáitio do Seu Creysson!!! É só cricá... eme-eme-eme de cabêcia pra baxio, çaite do Seu Creysson pôntio com pôntio bê-errio... e dispois fica cricando lá o dia tôdio!

– É ilson aílson! Não se incrua mais de fória do mundio da enfornática! Compre hoje mêrmio o seu Computadô Simprificado Capivara-Seu Creysson...
esse eu agarântio...
esse é mais um prodrutio...

PERGUNTE AO SEU CREYSSON

HUBERT – Seu Creysson, eu queria que o senhor me tirasse uma dúvida. Tem gente que me chama de Herbert, outros chamam de Hupert, outros chamam de Humbert... afinal, como é que se fala o meu nome?

– Ô Hipert... quer dizer, ô Rubent... esse teu nômio é muito compricado. Mas já que tu faz questião de ter nômio ingrês, por que que tu não se chama Óxto? Fácil de falar e fácil de escrevê: só quatro letra. O-X-T-O, acento agúdio no Ó. Que nem Óxto Oliveira, aquele pubricitário que foi sekestrádio. E não esqueça de comprá o sensacional livro Gramátrica Propular Capivara-Seu Creysson! Em edição revista e ampriada! E com um monte de figuria pra colorir!!! É isso Aílson!!! Essa gramátrica eu agarantio!!! Esse é mais um produtio...

FRAGANÇA DO SEU CREYSSON

–Tôdia feijoádia é a mêsmia
coisia... Como póbre nunquia tem
cumídia em casia, aproveitcha
pra tirá a barriguia da miséria.
Aí, como aquele pratchão de
feijão com muitcha carne sequia
e linguicia.

Resultádio: dor no búchio!
Aí é que êvem o pobrema.
Cê não pode nem ir ao sagitário pra
dar aquela barrigádia que vem
um engrassadinhio e faz piádia!!!

* Seu Creysson * VÍDIA i ÔBRIA

- Pô, que cheiro brabo !!!
Quem é que tá interditando o banheiro ?

Pois agória seus probremas se terminaram-se.

Chegaram as excrusiva Fragança do Seu Creysson!!!

Disfalce esse odoriu fedorêntio com o púrio cherio da foréstia. Fragânça di Eucalipe.

FRAGÂNÇA Di EUCALiPE

O prefúmio refescrântio do ortelão!

FRAGÂNÇA DE ORTELÃO

CHERIO DE MACHIO

E tem também a ixcrusivia fragança de Cherio de Machio!

Nossa! Que cheiro bom de macho!!!

–Tá vêndio? Então, vai continuar cagândio fedídio? Deixa de ser porco e cômpria lóguio uma Fragança do Seu Creysson!!! Essias eu agarântio!!!
Esse é mais um produtio...

* Seu Creysson * VÍDIA i ÔBRIA

35
*

PERGUNTE AO SEU CREYSSON

– Seu Creysson, eu tenho uma dúvida. Se eu e meu amigo sair pra comprar cigarro, o certo é nós vai comprar cigarro ou a gente vamo comprar cigarro?

– Mas cês são muitcho inguinorântio mêrmio, hein? As dua opssão estão errádias! Se vocês saíro pra comprá cigárrio, cês tem que falá "nós fumo", pruquê se cês num fumo, pra que que ia cumprá cigárrio?

GENÉRIQUIO
SEU CREYSSON

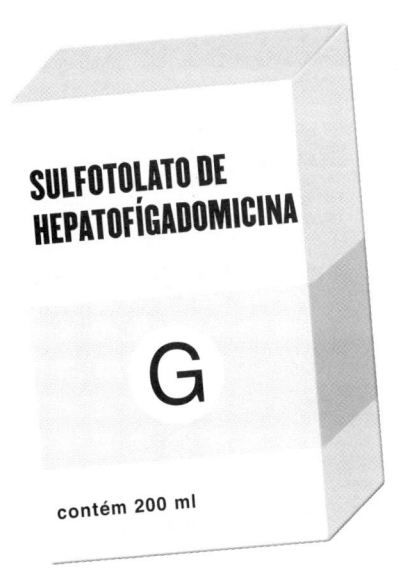

SULFOTOLATO DE
HEPATOFÍGADOMICINA

G

contém 200 ml

FIGADOLINOL DE
VOMITOLENO

G

contém 200 ml

–Tu num achia que o governio
inventô esses tar de genérico só
pra enrolá a línguia dos pobre?
Pra que que os nomi dos genériquio
é tudo tão compricado? Só pra te
dar dor de cabêcia e tu tê que
comprá mais remédio aíndia!
Pois seus pobrêmia ter-mi-na-ro!

Agória chegaro os remédio genériquio Cavipara Seu Creysson, pra você que não consegue falá esses nômio dificílico de prenunciar! É wilso mermo!!! É só chegá nas farmaça Capivara-Seu Creysson e pedir:

REMÉDIO
PRO
FIGO

REMÉDIO PRA
POBREMA DE
ESTROMBO

REMÉDIO PRA
SISTEMA NELVOSO

REMÉDIO PRA
QUEM SOFRE DE
**MAGNÉSIA
BISURADA**

– É Ilson aílson! Genériquio Capivara-Seu Creysson é Çaúde com C cedilha maiúsco!
Esse eu agarântio! Esse é mais um podrútio...

PERGUNTE AO SEU CREYSSON

– O meu fio tá ouvindo um zumbido. Seu Creysson, eu queria saber se é um zumbido na zorelha ou no zovido?

– Cuma é que é? O seu fio tá com dor na zoreia e a senhória tá prucurândio dica de gramátrica? Se é criançia e tá com pobrêmia, tem que levá no pederastra. Aí o pederastra vai manda pro pecialista de pobrêmia no zouvido, que é aquele outro dotô... o dotô Rino.

– Como intelectuálico e pensadôrio do Brasil as pessoa me cobra muitcho ter uma propostia pra arresolvê nossos pobrema.
Inda bem qui as pessoa só me cobria isso, purquê se for cobrá as dívidia é melhó esperá sentádio! Pois os pobrema do Brasil se terminaro-se.

SEU CREYSSON APRESÊNTIA SUAS POPROSTAS PRA ARRESOLVÊ OS POBRÊMIA DO BRASIL:

ÇAÚDE E INDUCASSÃO:

– Assolucionar o pobrêmia da saúdia no Brazil é muitcho fácil. É só fazê o seguíntio: Tôdia veiz que alguém espirrá as peçoa deve de ser obrigádia a dizê saúdia! Assim com uma só medídia eu arresolvo os pobrêmia da çaúde e da inducassão! Matei dois coelio com uma caralhada só! Eu sou fódia!

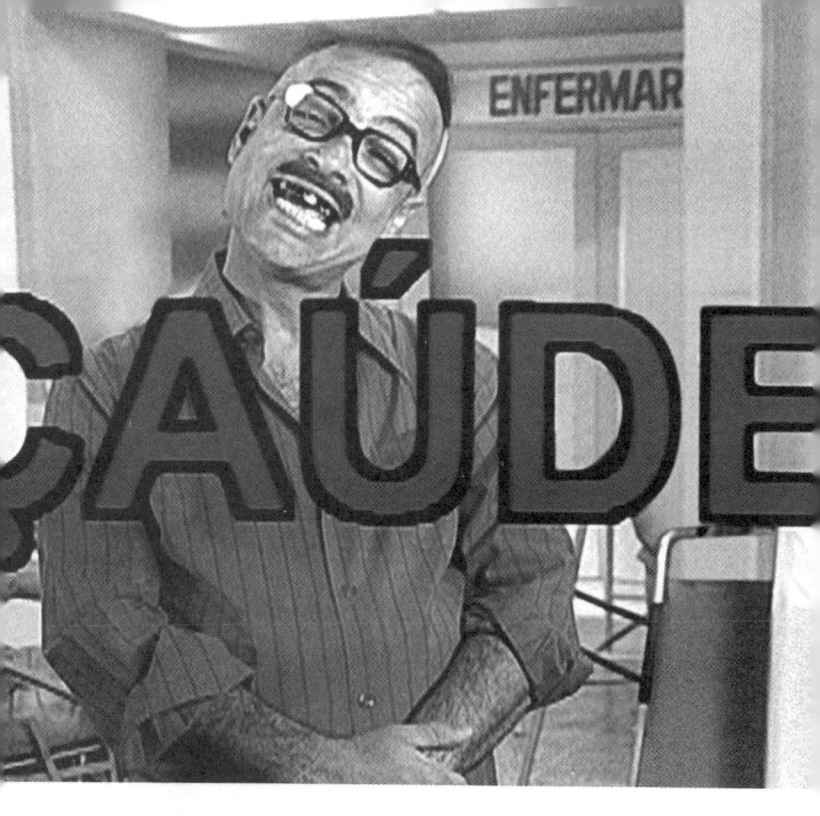

CUNOMIA:

– Eu sou como tôdios os cidadãos, um hômi simpres, mas intendio de cunomia. Seus pobrema de falta de dinherio, se acabaro-se! Eu promêtio que vou fabricá na minha gáfrica e adistribuir pra todo mundio o dóla Capivara Seu Creysson

– Vai te dólia pra todo mundio! E o governio só vai ter que me pagá a tíntia! O réstio é eu que dô de gátris!

CUNOMIA

– E num pode tê mais esse negócio de saláro mínimo. Todo mundio tem que ganhá o saláro que nem que o Ronaldinho! Assim todo mundio fica satisfeitcho!

ALIMENTASSÃO:

–Todo múndio fala de combatê a fômia do povio. Mas e a sêdia do pôvio, como é que fíquia?
O póbrio num pode inchê a bôquia de farinha e dispois num tê nem uma água de côquio pra tumá.
Por íssel eu vô pedi pros ríquio doá bebidia pos póbrio. Mas tem qui sê bebidia não pecerível!
Se de cádia dosia de uísco eles dere uma pédria de gêlio,
o pobrêmia tá arresolvido.

DIPROMAÇIA:

– O mundo tá muitcho compricádio.
Tem uns país aí que num dá nem
pra falá u nomi!
Afeganziguidist... afegrãozisti...
Tá vendio como a situaçônica tá
enroládia? É por íssel que o
Brasil tem que fazê dipromacia
só cum Burquina Fasso, porque
tirano o Burquina, o restio é fasso!

EXECUTIVO – Eu gostaria de fazer uma pergunta ao senhor Cleysson...

– Ih! Já começou falando bobage, meu nomio se chama-se Seu Creysson!

EXECUTIVO – Desculpe, é exatamente essa a minha dificuldade. Eu sou um executivo com Master MBA em business, mas o mercado de trabalho na minha área está saturado.

Eu estou desempregado e estou
aceitando qualquer cargo.
Servente de pedreiro, office-boy,
garçom de boteco, qualquer
coisa serve, mas sempre alegam
que eu sou muito qualificado...

– Ô bacana, eu num intendi
muntcho bem o que cê falô não,
mas eu áchio que íssel aqui pode
te ajudiar!
É o livrio
"Como iscrevê
currico pra
arrumá selviçio."
São mais de
cem exempro
pra você cupiá.
E depois que
você conseguí
fazê o seu currico, você não vai
mais largá esse selvício.

COMO ISCREVÊ CURRICO PRA ARRUMÁ SELVIÇIO

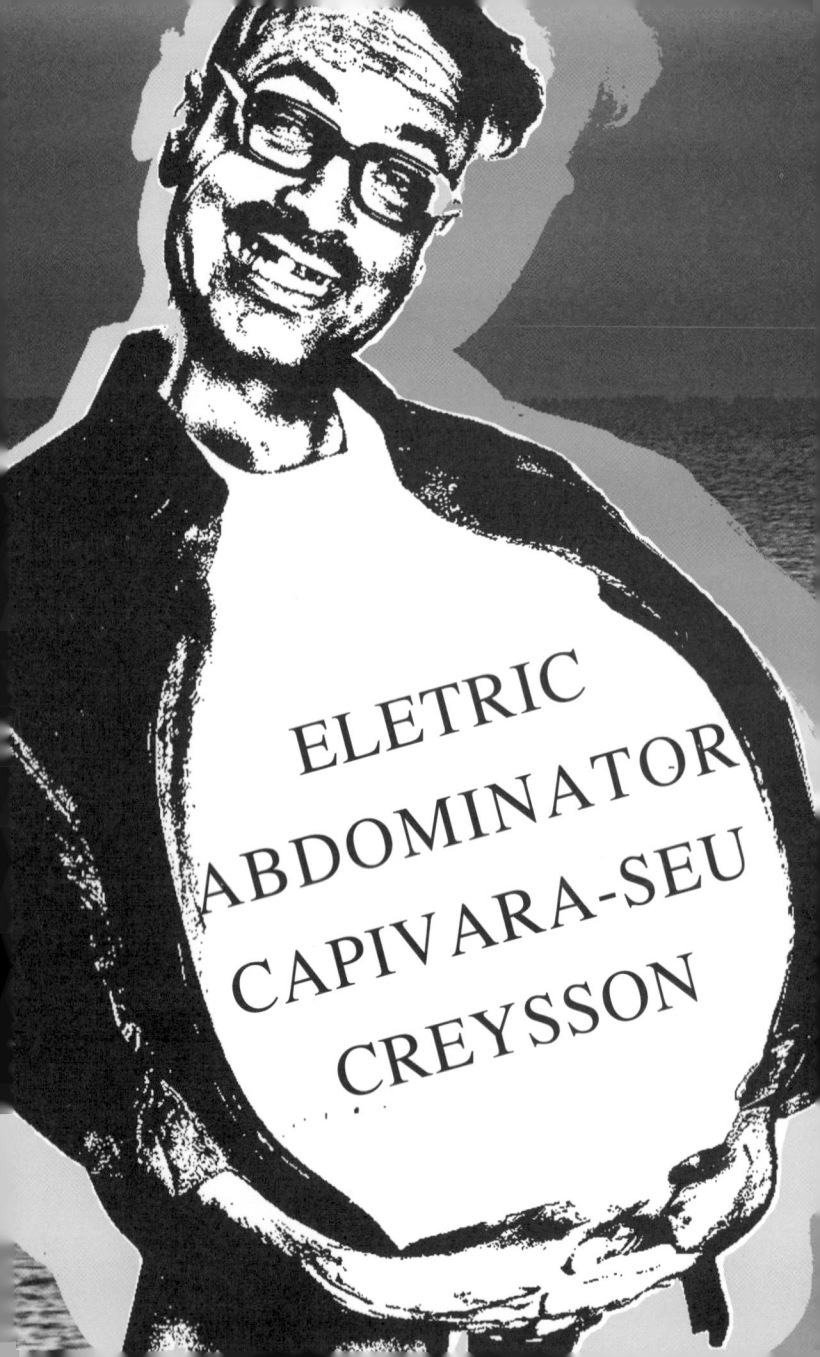

–Tu já num notô que todo dia eles lança um montio de apareio caro, que num são pro seu bico, pra tu perder as banhias! Eles quere qui tu, além de ser pobrio, aíndia tem qui tê o abdômio definídio? Pois seus pobremas se ter-mi-naro-se!

4xR$9.99

GRUPO
CAPI

ELETRIC
BARRIGATOR
CAPIVARA
Seu Creysson

– Chegô o muito ótimo...
Eletric Barrigator Capivara-Seu
Creysson... pra tu cabar de veiz
com esses seus pneus, que
incrusível podem virar fóquios
de mosquito da dênguio.
E é muito simpres!

– É só instalá o seu
Eletric Barrigator, na altura
do estrombo... dispois entrá
dis pé discalços numa bacia
cheia d'água...

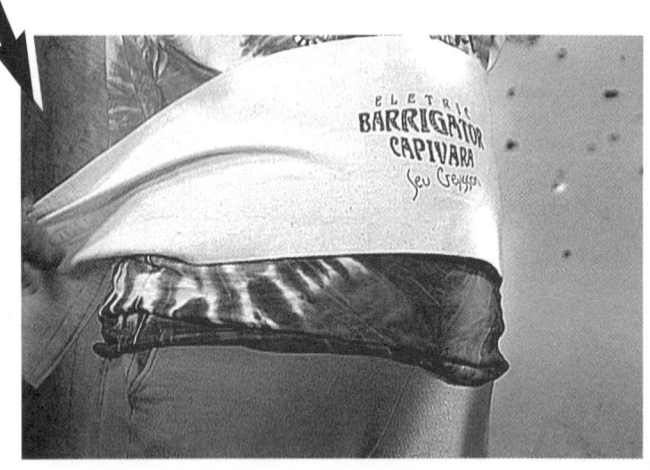

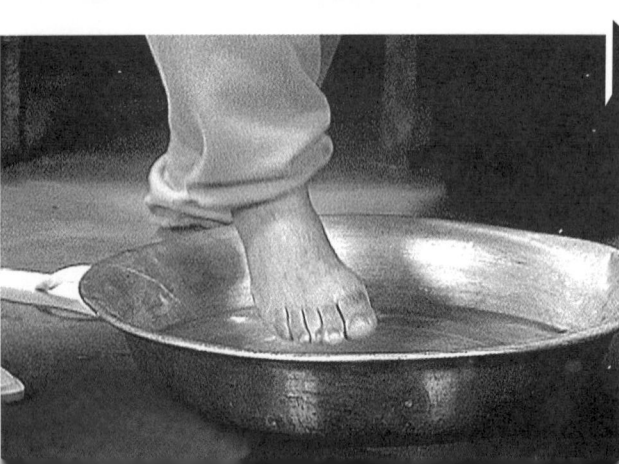

– Aí é só enfiá
o dedo na tomadia e deixá
a letricidade atuá nas suas
gordurinia e em todo o réstio!

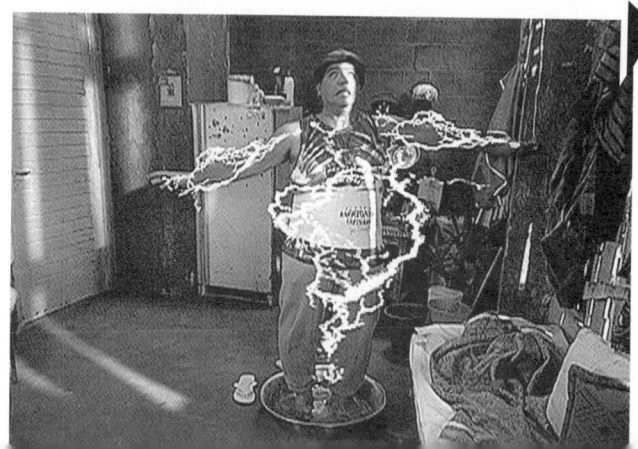

– E tem mais... além de emagrecê, o Eletric Barrigueitor Capivara-Seu Creisson, vai te deixá com aquele bronzeádio.

– Compre o seu Eletric Barrigueitor Capivara-Seu Creisson...
esse sou eu que agarântio...
esse é mais um produtio...

PERGUNTE AO SEU CREYSSON

OPERÁRIO – Seu Creysson,
eu sou peão aqui dessa obra
e tô com um pobrema danado.
É que eu falei pra madama
que eu ia fazer a janela em
esquadrilha de aluminho,
mas ela falou que tava errado.
E agora, o que eu faço?

– Deixa de ser inguinorante, sua
bêstia. Se ela não góstia de
esquadrilha de aluminho, faz em
táuba. Aí tu aproveitcha as tauba
e faz o soalho tôdio em táuba
escorrida, que combínia. E já que
tamo falândio de óbria, vô te dá
uma ajúdia. No banhêrio do
menínio, bótia azulejio até o
tétio, mas se o banhêrio fô de
menínia, aí não usia azuleijeio,
usia cor de roselejo... que é o
revestimêntio femininio...

QUITI DI PRÁSTICA PROPULAR DO SEU CREYSSON

* * Seu Creysson * VÍDIA i ÓBRIA

– Você tá que é bânhia puria, cheia
de cerulítia, com as pele frácida?
Sempre que tu vai tirá a roupia
em púbrico pra ficá de bequinio,
você fíquia com veugonha?
Mas tu é póbria, miserávica
e não tem dinherio pra pagá
uma siderurgia prástica?

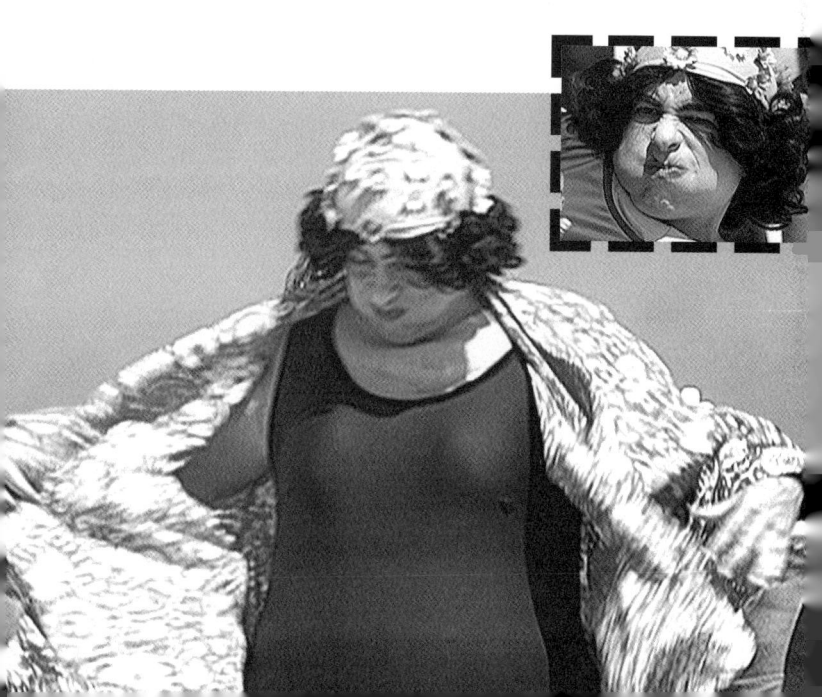

– Pois agoria seus pobrema se terminaro-se. Chegou o quiti di prástica propular du Seu Creysson. A única prástica que é pro seu biquio! Quer dizer, que é pra suas pelanquia!

QUITI DI PRÁSTICA PROPULAR DO SEU CREYSSON

– Agoria você vai poder ficá com a caria esticádia que nem que essas perua da altia sociedadia, as tal das socialátia.
E nem precisia de cirurgirão prástico! Só precisia do prástico!
É só infiá o prástico na cária pra ficá toda esticádia?!

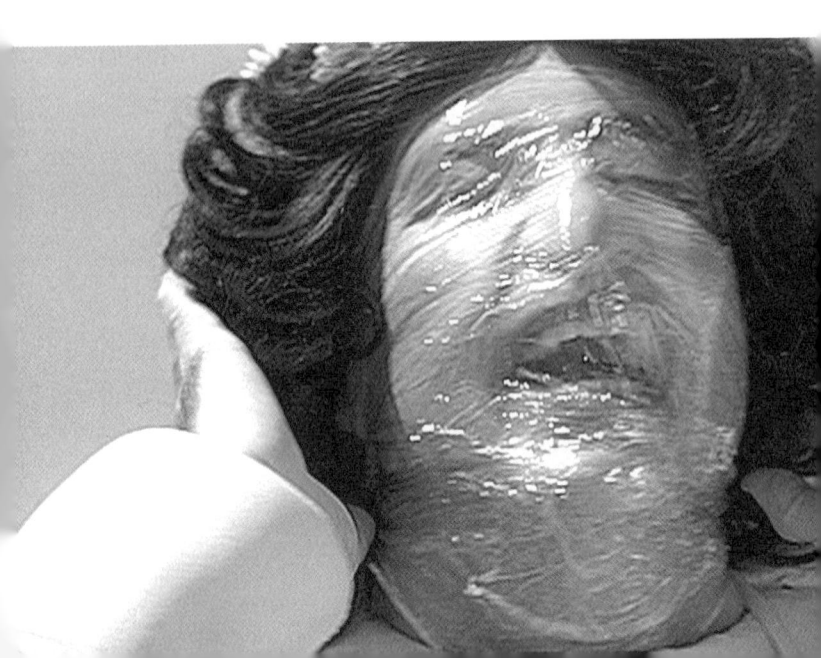

E nosso produtio incrui também:
um legítimio par de dois cônios,
pra tu que num pode pagá
imprante de siliclônio e quer ficá
com as peitola impinádia!

* Seu Creysson * VÍDIA i ÓBRIA

– E não é só íssel... se tu quer perdê aquelas gordubanhas localizadias... aquelias localizadias no corpio tôdio é só fazê uma limpo inspiração!

– E se mermo assim você continua se achândio uma poia gôrdia, você pode ligá na verocidádia máximia!

– Quiti di prástica propular Capivara. Quiti emagrece! Quiti deixa gostósia! Esse eu agarântio! Esse é um prodútio...

MULHER – Pois é, Seu Creysson, eu acabei de desembuchar e nasceu até um neném. Agora eu tô na dúvida, não sei se dou o nome dele de Cróvis, Frávio ou Cráudio...

– Na minha modéstica opiniônica essa coisia de dá nomio compricado pras criancia, atraumatiza as coitadias. Eu sugirio tu dá um nomio mais simpres, como Eucrides, Crodoaldo... mas si tu gostia de nomio compricadio, comprica loguio, dá um nomio de filósofio, Aristostolio, Sófocres ou Pratão! Se bem que Pratão só é bom dá dispois que a criancia largou a mamadeiria... pra num ter o risquio de dar umia disisposição estrombacal!

CARTÃO
CAPIVARA

* * Seu Creysson * VIDIA i ÓBRIA

– Você já tá de saco cheio de ver esses bacana tirá dinheirio do caxa letrônico só com um cartãozinho de prástico?
E a única coisa de prástico que tu tem é um pêntio velho e sem dêntio?
...Pois agora seus pobrêmia se terminaro-se.

* * Seu Creysson * VIDIA i ÓBRIA

77
*

– Foi para você que é duro
e miserávio que nós criemo o
Excrusívio Capivara Gôldio
Cárdio. Com ele, você vai
continuá póbrio do mesmo jeitio,
mas com muintcho mais crasse!
Chega de ficar devendio na
mercearia da esquinia!
Com o Excrusívio Capivara
Gôldio Cárdio você vai podê ficar
devendio em lojas mais fina,
elegrante e metida a bêstia!

EXCRUSÍVIO
CAPIVARA
GÔLDIO
CÁRDIO

84849378728

* * Seu Creysson * VÍDIA i ÓBRIA

80

O nóssio sistêmia de sáquio é tomático: você saca o cartão e eles saca na hória que tu é um criente ispecial, com dirêitio a levá porradia dos segurançia das lójias mais sofresticadas da cidade. E cada vez que tu é jogádio lôngio, pra fória de uma lójia, cada métrio, cada centrímetro, contam pôntios que se somam-se no nosso

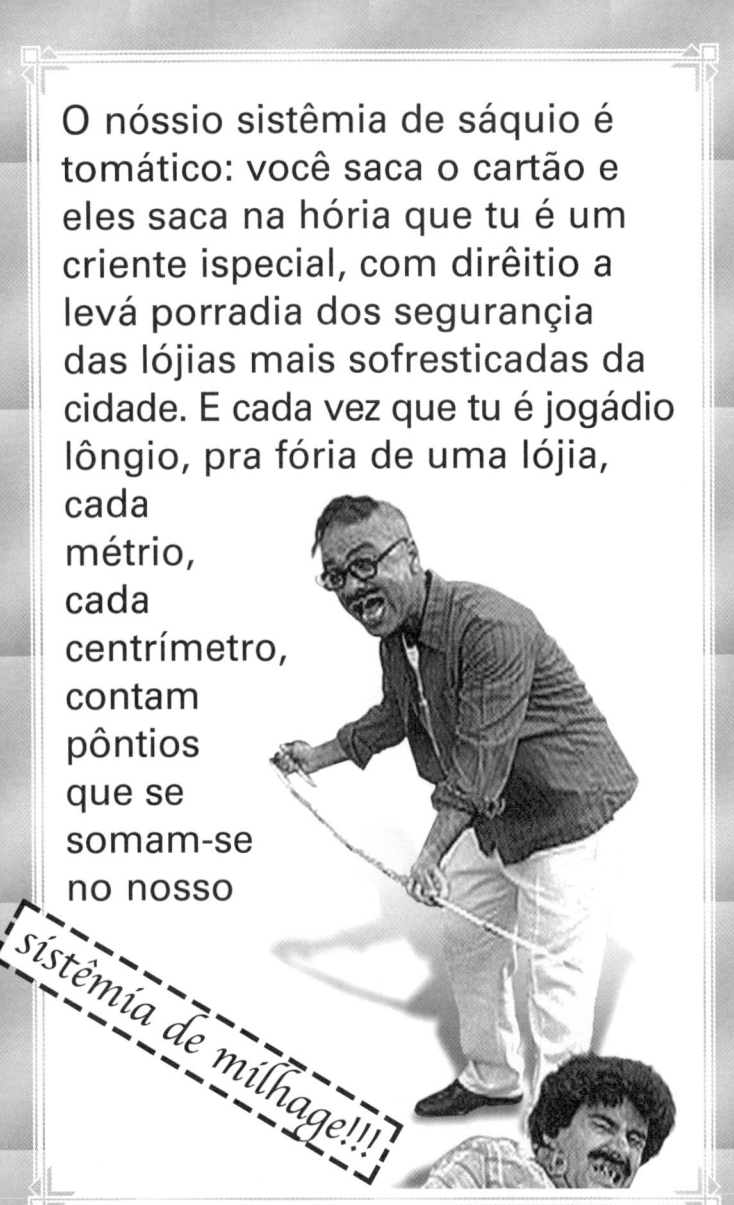

sistêmía de mílhage!!!

– E não é só íssel! Esse cartão é
o único que também sérvio pra
limpar a zunha,

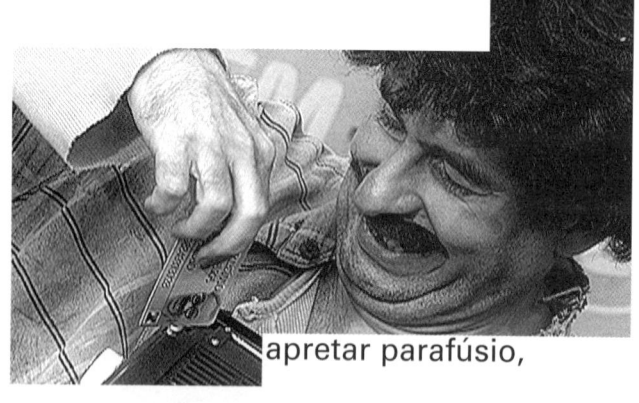

apretar parafúsio,

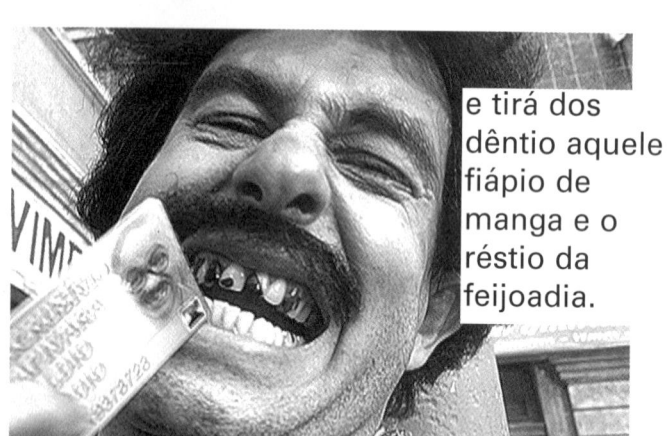

e tirá dos
dêntio aquele
fiápio de
manga e o
réstio da
feijoadia.

– Compre hoje mêsmio o seu EXCRUSÍVIO CAPIVARA GÔLDIO CÁRDIO. Esse eu agarântio!

PERGUNTE AO SEU CREYSSON

SEXÓLOGA – Senhor Cleysson, eu sou sexóloga há muitos anos e sei tudo sobre sexo. Eu só tenho uma dúvida: aquilo que a mulher tem é clítoris ou clitóris?

– Deixa de ser bêstia, dona sexólatra. Quem tem critório é mulé riquia, executivia, que trabalhia fória. E quase sempre o critório nem é délia, ela usia o critório da emprêsia que élia trabalhia. Aliázio, na minha modéstica opiniônica, mulé nem devia se preocupá com esses trócio de critório, devia ficá em cazia cuidândio das criância....

A GRÓLIA DI UMIA CONQUISTIA

a poezinha emoçionada qui Seu Creysson fez pra cumemoriá o pêntia.

Foi bunítio...

mais qui bunítio, foi líndio.

Os dibre, o talêntio,

a selessão çaiu
sem nenhumia crebilidibilida...

sem nenhumia crelidiblibi... aaahhh!

Ninguém creditávia nélia.

E de repêntio, ganhemo!

O jôguio foi nelvoso,

deu até frio no estrombo.

E despois que o Fenôminio

copiô meu cabêlio

Aí foi mais bonitio aindia!

Mais grassas a Deus ganhemo!

Semo pêntia!

qui é muitio mais fássil prus probe falá

qui tétria!

I viva o Brasil-il-il...

qui também tem équio!

– Eu fui candidátio a presidentio e só num ganhei as eleição porque as úrnias era letrôniquias. Mais a minha músiquia de jinguio de campania era a mais melhó. Olha a letria do jinguio aí do ládio. Tem até as nótias, que não são de dinheirio, são de musiquia, pra você podê tocá no violão!

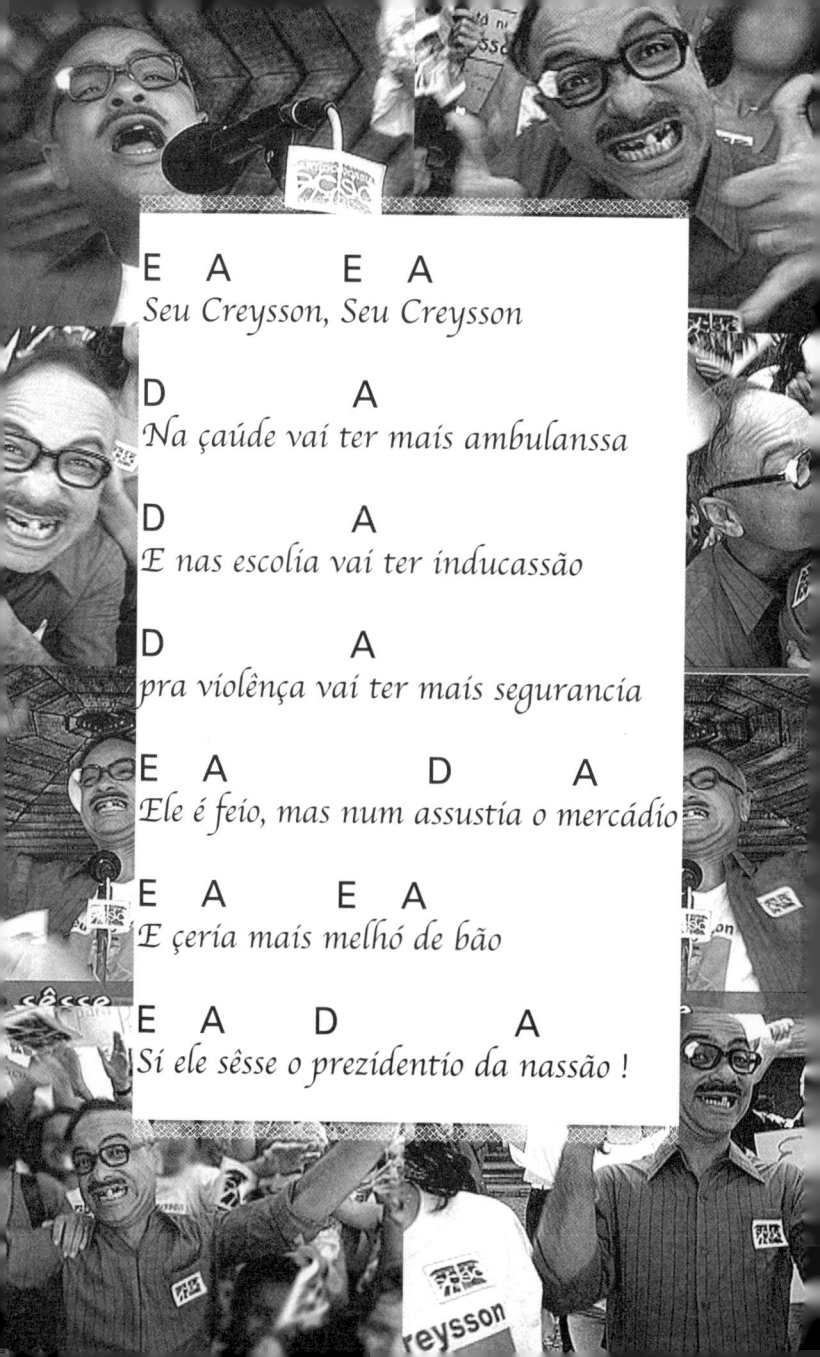

DIÇONÁURIO DA LÍNGUIA PORTUGUESIA DO SEU CREYSSON

A

ABUNDÂNCIA – É quandio você vê aquelias bundias todias no desfilio das escolias de sambias. É aquelia abundância! Se bem qui com as mulé tudio botandio siliconio, agoria também tem muitcha apeitância. Eu gostchio muitcho de acoxância e axoxotância também!

AMBIENTE – O ambiêntio é um negócio que os home tão maltratandio tantio que já tá na metádia. Por issio ele virô o meio-ambientio! Eu que sô ecocôlogistia, lutio pra acabá com o defeitio estúfia, porque o culpádio do defeitio estúfia é a cambada de azônio.

E

ESPERMA – É quandio você vai no médiquio e fica esperândio pra sê atendidio. Intão você fica lendio revistia na sala de esperma.

H

HEXA – Hexia deve de ser uma coisia que era mais num é mais... então é hexa! Si um homi se separia da mulé, ele viria o hexa-maridio delia! Intendeu, ô inguinorantiu?!

I

ILHOTA – é aquelio buraquinhio qui fiquia bem nu meio do traseirio. Quando uma peçoa tá te enxêndio o sáquio e te preguntia: onde é qui eu infio issio? Aí você respôndio: enfia na ilhota!

IOGURTE – Pra que tu qué sabê o que é iorgutio, iogurtio, essa coisia? Issio é coisia de ríquio! Não é pro teu bíquio! Vai comendio pão com ovio que além de ser mais fácil de falar é a única coisia que probe miserávico pode cumprá!

P

PEDIATRA – É quandio o sujeitio não é um cabra máxio, intão elio é um homem sexual, um boióleo!

R

RIM – Essa palávria tem dois singnificádio. Pode ser um órgo do corpio humanio, igual que nem o estrombo, o figo, o testino e o zofo. Ou intão pode sê quandio você num quer fazê uma coisia, intão você falia: Eu fazê íssel? É rim, hein!

S

SEBOSO – É quândio você lávia o seu cabelio sempre com sabonêtio, xampu, e cremio rinsio e os seus cabêlios fica macio e sebósios!

T

TABLE – Isso é ingrês!
Esse diçonáurio é de portugueisi, mais eu num sô inguinorântio. Eu também sei ingrês. Table é usadio por exemplio em the book is on the table – o livrio tá na táuba.

TV POR ASSINATURA – Se o troçio é pra assassinante num é pro seu biquio! Se tu num sabe nem assassinar o póprio nome, tu acha que vai pudê ter TV acábio, por satelte ou essas de fibra ótima? É rim, hein!

u

UTERINO – Essa é dificia mais eu sei! Uterino é quandio o titulário não está, aí entra o uterino. Por exemplio: Quandio o presidêntio viajia, o vice-presidêntio vira o presidêntio uterino.

V

VICE –Todio mundio tem um vice. O meu vice por exemplio é danádia da cachássia!

Y

YOU – Muitcha gente pensia que essa palavria é ingrês. Né não! You é quandio você falia malio de alguém. Por exemplio. Ih, u caria é u mayor boiólia!

ERRATA

Apesar desse livro ter passado por várias revisões, escapou ao olhar atento de nossos copidesques um erro na página 53 – onde está escrito "mundo" leia-se "múndio". Perdão pela nossa falha que será corrigídia nas ediçãos posterioras.

G R
G

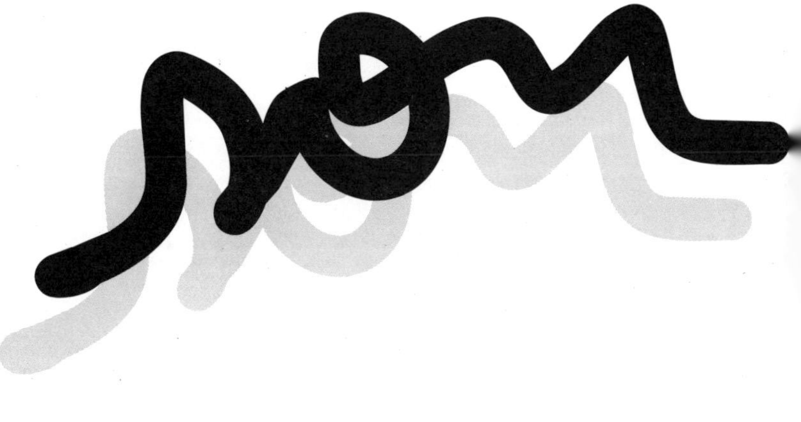

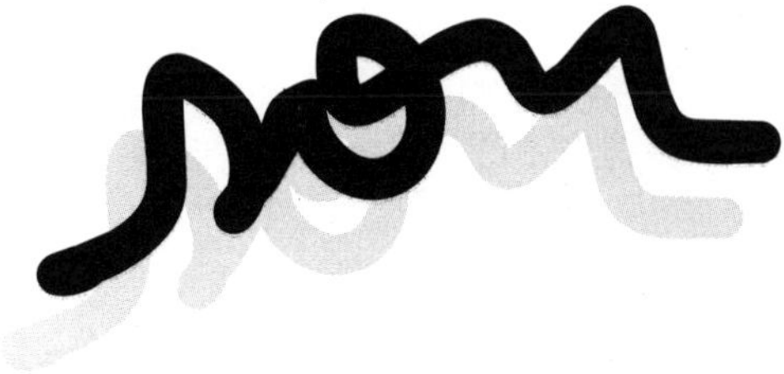

– Agora com équio!

CONHEÇA OS LIVROS DO CASSETA & PLANETA

AS MELHORES PIADAS DO PLANETA... E DA CASSETA TAMBÉM!
O grupo mais irreverente do país apresenta uma antologia de suas melhores piadas, acumuladas ao longo de vinte anos de humor. 128 págs.

AS MELHORES PIADAS DO PLANETA...E DA CASSETA TAMBÉM! 2
Eles voltam a atacar e não livram a cara de ninguém. Leia e não ria... se for capaz. 124 págs.

AS MELHORES PIADAS DO PLANETA...E DA CASSETA TAMBÉM! 3
Uma nova série de piadas infames. 128 págs.

AS MELHORES PIADAS DO PLANETA... E DA CASSETA TAMBÉM! 4
A antologia fundamental para quem quer conhecer todos os tipos de piadas: as protegidas pelo Ibama, as feitas para irritar feministas... É diversão pura. 136 págs.

MANUAL DO SEXO MANUAL
Um livro de cabeceira para quem gosta de saber tudo sobre sexo, conquista e autocontrole e a louvável arte do sexo manual. Edição revista e ampliada. 143 págs.

O AVANTAJADO LIVRO DE PENSAMENTOS DO CASSETA E PLANETA
Uma edição histórica reunindo "O enorme livro de pensamentos do Casseta & Planeta" e "O grande livro de pensamentos do Casseta & Planeta". 168 págs.

A VOLTA AO MUNDO COM CASSETA & PLANETA
O grupo que revolucionou o humor brasileiro conta suas aventuras pelo mundo, num texto deliciosamente irreverente e divertido. 166 págs.

LANÇAMENTO!
AS PIADINHAS DO CASSETINHA
Um livro de piadas politicamente incorreto, proibido para maiores. 92 págs.

Casseta & Planeta apresenta também:
AGAMENON, O HOMEM E O MINTO, de Hubert e Marcelo Madureira.
O jornalista mais picareta do Brasil escreve suas memórias. 133 págs.

Conheça mais sobre nossos livros e autores no site
www.objetiva.com.br

Disque-Objetiva: 0800 224466 (ligação gratuita)

markgraph

Rua Aguiar Moreira, 386 - Bonsucesso
Tel.: (21) 3868-5802   Fax: (21) 270-9656
e-mail: markgraph@domain.com.br
Rio de Janeiro - RJ